安房直子 絵ぶんこ 1

ふろふき大根《だいこん》のゆうべ

安房直子 文　アヤ井アキコ 絵

冬《ふゆ》が近《ちか》づいてきました。

ひぐれが早《はや》くなりました。夕方《ゆうがた》、ちょっとそこまでと思《おも》ってでかけても、帰《かえ》りはもう、とっぷり暮《く》れています。

そんなひぐれの山道《やまみち》を、いそいでのぼってゆくのは、峠《とうげ》の茶店《ちゃみせ》の茂平《もへい》さんです。

茂平《もへい》さんは、大《おお》きなかごを、ぶらさげていました。かごの中《なか》には、たったいま、ふもとの畑《はたけ》でわけてもらった大根《だいこん》が三本《ぼん》はいっていました。荷物《にもつ》は重《おも》いし、風《かぜ》はつめたいし、おなかもすいていましたから、茂《も》平《へい》さんは、とてもいそいでいました。いそいでいそいで、ふうふういいながら、山道《やまみち》をひとつまがったとき、ふと、へんな声《こえ》を聞《き》きました。

「ちょっとそこまで、みそ買《か》いに。
ちょっとそこまで、みそ買《か》いに。」

調子《ちょうし》はずれのひくい声《こえ》が、横《よこ》の林《はやし》の中《なか》から聞《き》こえてきたのです。茂平《もへい》さんは、びっくりして、足《あし》を止《と》めました。それから、うすくらがりの中《なか》で、よくよく目《め》をこらしてみますと、てぬぐいでほっかむりをした大《おお》きな動物《どうぶつ》が、やっぱりかごをぶらさげて、のそのそと、こちらへ歩《ある》いてくるのが見《み》えました。

「おい。」

思《おも》わず茂平《もへい》さんは、その動物《どうぶつ》を呼《よ》びとめました。

「どこへ行《い》くんだい？」

すると、その黒《くろ》い動物《どうぶつ》は、小《ちい》さい目《め》で、ちろりと茂平《もへい》さんを見《み》て、

「ですから買《か》いものです。ちょっとそこまで、みそ買《か》いに行《い》くんです。」

といいました。動物《どうぶつ》は、ふっくりふとっていて、口《くち》がとがっていましたから、茂《も》平《へい》さんには、ひと目《め》でわかりました。

（ははん、これは、いのししだ。）

すると、茂平《もへい》さんは、おかしくてたまらなくなりました。くすくすわらいたいのをがまんしながら、

「いのししが、みそなんか買《か》って、どうするんだい？」

とたずねますと、いのししは、胸《むね》をはって答《こた》えました。

「きまってるじゃありませんか。練《ね》りみそにして、大根《だいこん》にかけて食《た》べるんです。今夜《こんや》はふろふき大根《だいこん》のゆうべですからね。」

「ふろふき大根《だいこん》のゆうべ？」

「そうです。あちこちの山《やま》のいのししが集《あつ》まって、ふろふき大根《だいこん》を食《た》べる日《ひ》なんです。

ほら、人間《にんげん》のあいだでも、よくやるでしょ、モーツァルトのゆうべだとか、ブラームスのゆうべだとか、それから、フォークダンスのゆうべだとか。ああいうのとおんなじです。大《おお》きななべに、ふろふき大根《だいこん》どっさりこしらえて、あれをふうふう吹《ふ》いて食《た》べながら、語《かた》りあおうという会《かい》です。」

「なるほど。」

と、茂平《もへい》さんは、うなずきました。するといのししは、茂平《もへい》さんのぶらさげたかごを、ちろりと見《み》て、

「ところで、いい大根《だいこん》を、お持《も》ちですね。」

といいました。

「ああ、これは、畑《はたけ》からほりたてだ。うちの店《みせ》でも、これから、ふろふきをはじめようと思《おも》ってね。」

茂《も》平《へい》さんが、そう答《こた》えますと、いのししはもじもじして、とてもいいにくそうに、

「あのう……それをなんとか一本《ぽん》、わけてもらえませんでしょうか。」

というのです。

「じつは、用《よう》意《い》した大《だい》根《こん》が、ちょっと少《すく》ないことに、いま、気《き》がついたのです。集《あつ》まる仲《なか》間《ま》は、わたしをいれて五匹《ひき》ですが、どれもこれも、よく食《た》べますんでね。」

ふんふんと、茂《も》平《へい》さんはうなずいて、一本《ぽん》ぐらいならわけてやってもいいなと思《おも》っていますと、いのししは、

「大《だい》根《こん》一本《ぽん》わけてもらえるのでしたら、今《こん》夜《や》の会《かい》に、特《とく》別《べつ》にご招《しょう》待《たい》しましょう。」

といいました。

「ほう。」

茂《も》平《へい》さんは、のり気《き》になりました。そこで、

「会場《かいじょう》はどこかね。」

とたずねますと、いのししは、ぐっと茂平《もへい》さんのそばへよってきて、ひそひそ声《ごえ》で、教《おし》えてくれました。

「会場《かいじょう》は、あいうえお順《じゅん》に、まわりもちでやることになっています。ことしは、わたしの家《いえ》でやります。わたしの家《いえ》は、見《み》はらし台《だい》のそばです。ですから、つまり、ここ、どんどんのぼっていきますと、見《み》はらし台《だい》があるでしょ。あそこのそばに、笹《ささ》やぶがあるでしょ。その中《なか》に、落《お》ち葉《ば》のつもったほそーい道《みち》があります。そこ、どんどんはいっていきますと、つきあたりが、わたしの家《いえ》です。かやでこしらえた小《ちい》さな家《いえ》ですから、ちょっとわかりにくいかもしれません。今夜《こんや》は、入《い》り口《ぐち》に、表札《ひょうさつ》をだしておきましょう。」

ふんふんと、茂平《もへい》さんは、またうなずきました。そして、自分《じぶん》のかごの中《なか》から、いちばん太《ふと》くて、いちばんみごとな大根《だいこん》を選《えら》ぶと、いのししのかごの中《なか》に入《い》れてやりました。

「じゃあ、あとから行《い》ってみるよ。ついでに、練《ね》りみそも、持《も》っていってやろう。みそは、ユズみそがいいかな、ゴマみそがいいかな、それとも、クルミみそにしようか。」

そう茂平《もへい》さんがたずねますと、いのししはとびあがってよろこんで、

「そんなら、クルミみそにしてください。」

といいました。それからいのししは、すたこらすたこら山《やま》をのぼって、あっというまに、うすやみの中《なか》に消《き》えてしまいました。

茂平《もへい》さんは、家《いえ》に帰《かえ》って、おかみさん

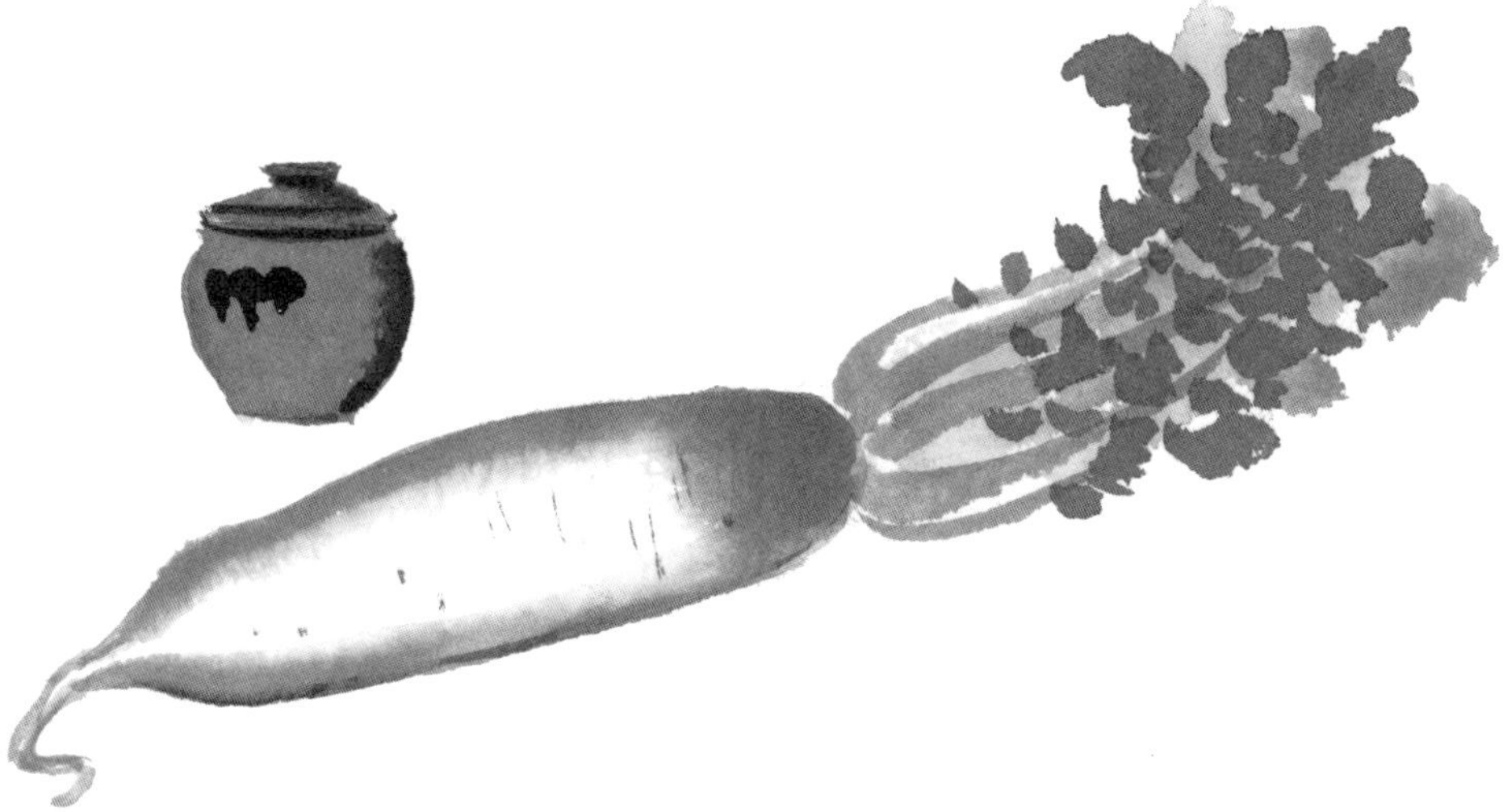

に話《はな》しました。

「これからちょっとでかけてくるよ。じつは、いのししの集《あつ》まりによばれてね。ふろふき大根《だいこん》のゆうべっていうんだ。」

するとおかみさんは、ちょっとびっくりして、それから、とてもうらやましそうに、

「いいですねえ……。」

といいました。茂平《もへい》さんとおかみさんは、峠《とうげ》に茶店《ちゃみせ》をひらいて五、六年《ねん》になりますが、山《やま》の動物《どうぶつ》たちとは、これまで、ずいぶん親《した》しくしてきたのです。たぬきのホテルによばれて、山菜料理《さんさいりょうり》をごちそうになったこともありましたし、茂平《もへい》さんのこしらえたベーコンを、いたちにごちそうしてやったこともありました。

「そんなら、気《き》をつけて行《い》ってらっしゃい。おみやげ話《ばなし》を、楽《たの》しみにしていますよ。」

おかみさんは、毛糸《けいと》のマフラーを、茂平《もへい》さんの首《くび》にかけてあげました。茂平《もへい》さんは、店《みせ》の台所《だいどころ》へ行《い》って、クルミみそのはいった小《ちい》さなつぼをかかえると、胸《むね》を

わくわくさせながら、家《いえ》を出《で》ました。

懐中電灯《かいちゅうでんとう》の小《ちい》さなあかりをたよりに、茂平《もへい》さんは、まっくらい山道《やまみち》を、歩《ある》いてゆきました。

山道《やまみち》をのぼって、見《み》はらし台《だい》につくと、さっき、いのししが教《おし》えてくれたとおり、笹《ささ》やぶの中《なか》に道《みち》がありました。それは、人《ひと》の通《とお》る道《みち》ではありません。動物《どうぶつ》たちだけが通《とお》る、かすかなほそい道《みち》です。その道《みち》をがさごそのぼっていきますと、一軒《けん》の家《いえ》が、ぽつんとありました。懐中電灯《かいちゅうでんとう》で照《て》らしてみますと、それはたしかに、カヤでつくられた家《いえ》で、入《い》り口《ぐち》には、

という表札《ひょうさつ》が出《で》ていました。

「ここだ、ここだ。」

茂《も》平《へい》さんは、ほっとして、大《おお》きな声《こえ》で、

「こんばんはー。」

と呼《よ》びました。すると、

「はい、はい。」

上《じょう》きげんのいのししの声《こえ》がして、とびらが、ぱっとあきました。そして、そこ

から、ほっかむりをはずしたいのししの黒《くろ》い顔《かお》が、ぬうっと、のぞいたのです。

「よくきてくれました。さあさあ、中《なか》におはいりください。」

いのししの家《いえ》の中《なか》には、小《ちい》さなランプが、ともっていました。そのあかりに照《て》らされて、家《いえ》の中《なか》がよく見《み》えました。

まん中《なか》に、大《おお》きないろりがあって、大《おお》きな鉄《てつ》のなべが、上《うえ》からつるされていまず。いろりの火《ひ》は、まっ赤《か》に燃《も》えていて、まっ黒《くろ》ななべからは、ほやほやと、ゆげがあがっています。いのししは、茂平《もへい》さんを、いろりのそばの席《せき》に案内《あんない》すると、もう、うれしくてたまらないという顔《かお》つきで、両手《りょうて》をこすりながら、なんべんも、おじぎをしました。

「ほんとにほんとに、よくきてくれました。いま、大根《だいこん》がゆであがったところです。これで、みそさえそろえば、したくは、できあがりです。クルミみそというのは、これでしょうか。」

いのししは、茂平《もへい》さんの持《も》ってきたつぼに、うやうやしく両手《りょうて》をさしだしました。

茂平《もへい》さんはうなずいて、つぼのふたをあけました。

「そうだよ。これが、うちの自慢《じまん》のクルミみそだ。」

ここでひとしきり、茂平《もへい》さんは、練《ね》りみそのつくり方《かた》を、説明《せつめい》したかったのですが、いのししは、さっさとみそのつぼを受《う》けとって、それをだきかかえると、

「これで安心《あんしん》、これで安心《あんしん》。」

とおどりはじめました。そして、おどりながら、へやの窓《まど》をかたっぱしから、あけはじめたのです。気《き》がつくと、この家《いえ》には、窓《まど》が三つもありました。おまけに、いのししは、入《い》り口《ぐち》のとびらまであけましたから、家《いえ》の四方《しほう》が、ぜんぶひらいたことになります。つめたい風《かぜ》が、びゅーびゅー吹《ふ》きこんできて、たちまち、へやの中《なか》は、野原《のはら》とおなじになりました。

「おいおい、寒《さむ》いじゃないか。」

茂平《もへい》さんがそういいますと、いのししは、きゅうにまじめな顔《かお》つきになって、

「ちょっとのしんぼうです。これから、お客《きゃく》を呼《よ》ぶために、わたしは窓《まど》をあけた

のです。」

そういうと、南側《みなみがわ》の窓《まど》にかけよって、両手《りょうて》をメガホンにして、びっくりするほどの大声《おおごえ》で、呼《よ》びました。

「三日月山《みかづきやま》のいのししやーい。したくができたぞー。」

それから、ばたんと南《みなみ》の窓《まど》をしめると、こんどは、西《にし》の窓《まど》にかけよって、

「ひぐれ山《やま》のいのししやーい。したくができたぞー。」

と呼《よ》びました。そして、西《にし》の窓《まど》をばたんとしめると、北側《きたがわ》のとびらにうつって、

「北森山《きたもりやま》のいのししやーい。したくができたぞー。」

それからこんどは、東《ひがし》の窓《まど》から首《くび》をだして、

「日《ひ》の出山《でやま》のいのししやーい。したくができたぞー。」

とさけびました。最後《さいご》に、東《ひがし》の窓《まど》を、ばたんとしめて、いのししは、いろりにかけよると、

「ふー、さむ、さむ、さむ、友《とも》だち呼《よ》ぶのもひと苦労《くろう》だよ。」

と、両手《りょうて》をこすりました。そのようすを、茂平《もへい》さんは、もう目《め》をまるくしてながめてから、あきれたようにいいました。

「ずいぶん遠《とお》いところの友《とも》だちを、呼《よ》ぶんだなあ。」

するといのししは、とくいそうにうなずいて、

「ひとつの山《やま》から、ひとりずつ、代表《だいひょう》を呼《よ》びました。」

といいました。

「それにしても、ちょっと遠《とお》すぎるよ。いくらなんでも、三日月山《みかづきやま》だのひぐれ山《やま》だのから、いま出発《しゅっぱつ》して、今夜《こんや》のうちにつけるわけがないじゃないか。」

「おっと、そこが、いのししのすごいところです。いのししはね、茂平《もへい》さん、まっくらやみの中《なか》を、まっ黒《くろ》い体《からだ》で、まっしぐらに走《はし》るんです。そのうえ、代表《だいひょう》のいのししは、みんな、てぬぐいを持《も》ってますんでね。あれでほっかむりして走《はし》れば、むこうの山《やま》から、こっちの山《やま》へ、ひとっとびです。ほうら、もうだれかきた。」

郵 便 は が き

料金受取人払郵便

牛込局承認

3055

差出有効期間
令和7年1月9日
切手はいりません

162-8790

東京都新宿区
早稲田鶴巻町551-4

あすなろ書房
愛読者係　行

■ご愛読いただきありがとうございます。■

小社のホームページをぜひ、ご覧ください。新刊案内や、
話題書のことなど、楽しい情報が満載です。
本のご購入もできます➡http://www.asunaroshobo.co.jp
（上記アドレスを入力しなくても「あすなろ書房」で検索すれば、すぐに表示されます。）

■今後の本づくりのためのアンケートにご協力をお願いします。

お客様の個人情報は、今後の本づくりの参考にさせて頂く以外には使用いたしません。下記にご記入の上（裏面もございます）切手を貼らずにご投函ください。

フリガナ お名前	男・女	年齢　　歳
ご住所　〒		お子様・お孫様の年　　歳
e-mail アドレス		

●ご職業　1主婦　2会社員　3公務員・団体職員　4教師　5幼稚園教員・保育士　6小学生　7中学生　8学生　9医師　10無職　11その他（　　　）

※引き続き、裏面もご記入ください。

● この本の書名（　　　　　　　　　　　　　　　　　　　　　　　　）
● この本を何でお知りになりましたか？
1 書店で見て　2 新聞広告（　　　　　　　　　　　　新聞）
3 雑誌広告（誌名　　　　　　　　　　　　　　　　　　　）
4 新聞・雑誌での紹介（紙・誌名　　　　　　　　　　　　）
5 知人の紹介　6 小社ホームページ　7 小社以外のホームページ
8 図書館で見て　9 本に入っていたカタログ　10 プレゼントされて
11 その他（　　　　　　　　　　　　　　　　　　　　　　）
● 本書のご購入を決めた理由は何でしたか（複数回答可）
1 書名にひかれた　2 表紙デザインにひかれた　3 オビの言葉にひかれた
4 ポップ（書店店頭設置のカード）の言葉にひかれた
5 まえがき・あとがきを読んで
6 広告を見て（広告の種類〈誌名など〉　　　　　　　　　）
7 書評を読んで　8 知人のすすめ
9 その他（　　　　　　　　　　　　　　　　　　　　　　）
● 子どもの本でこういう本がほしいというものはありますか？
（　　　　　　　　　　　　　　　　　　　　　　）
● 子どもの本をどの位のペースで購入されますか？
1 一年間に10冊以上　2 一年間に5〜9冊
3 一年間に1〜4冊　4 その他（　　　　　　）
● この本のご意見・ご感想をお聞かせください。

※ご協力ありがとうございました。ご感想を小社のPRに使用させていただいてもよろしいでしょうか　（1 YES　2 NO　3 匿名ならYES）
※小社の新刊案内などのお知らせをE-mailで送信させていただいてもよろしいでしょうか　（1 YES　2 NO）

いのししは、入《い》り口《ぐち》のほうを見《み》ました。すると、ほんとうに、入《い》り口《ぐち》の戸《と》が、さあっとあいて、そこに、白《しろ》いてぬぐいでほっかむりした大《おお》きないのししが、立《た》っていました。

「こんばんは。三日月山《みかづきやま》のいのししです。」

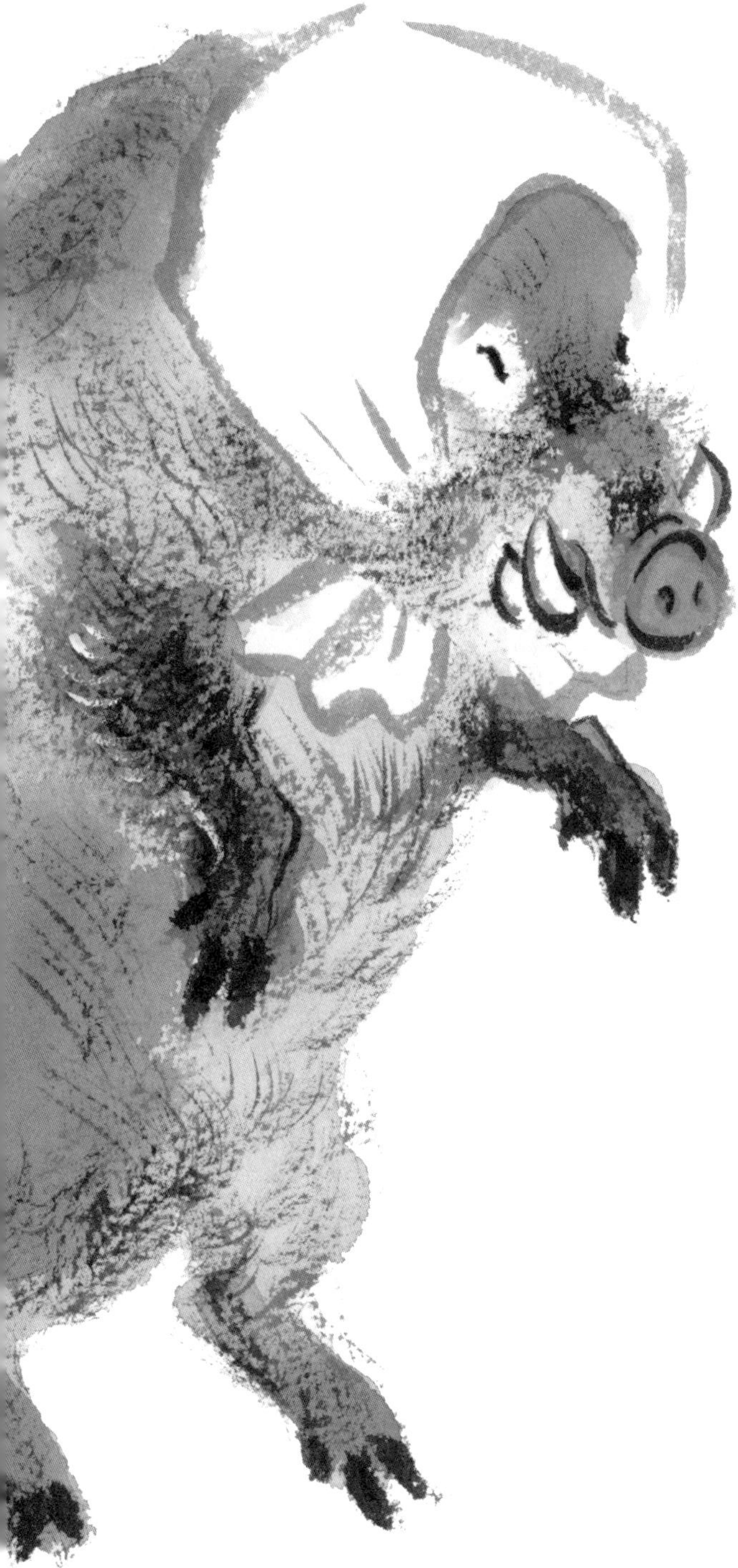

へんなくぐもり声《ごえ》で、お客《きゃく》のいのししは、あいさつしました。あかね山《やま》のいのししは、どうぞどうぞと、お客《きゃく》を、家《いえ》の中《なか》に入《い》れました。それから、ほんのすこししして、また、ドアがあくと、つぎのお客《きゃく》がきました。

「こんばんは。日《ひ》の出山《でやま》のいのししです。」

そういいながら、やっぱり、白《しろ》いほっかむりのいのししが、のっそりとはいってきました。これでお客《きゃく》は、茂平《もへい》さんをいれて、三人《にん》になりました。ところが、そのあとは、なかなか集《あつ》まりません。

「おそいじゃないか。北森山《きたもりやま》と、ひぐれ山《やま》は、どうしたんだ。」

いろりに両手《りょうて》をかざしながら、日《ひ》の出山《でやま》のいのししがいいました。すると、あかね山《やま》のいのししが、お皿《さら》とおはしのしたくをしながら、

「おおかた、かぜでもひいたんでしょう。」

といいました。三日月山《みかづきやま》のいのししは、ほっかむりをはずして、しわをのばしながら、

「だから、寒《さむ》いところは、いけないねえ。去年《きょねん》も、おととしも、欠席《けっせき》だったじゃないか。」

とつけたしました。これでもう、北森山《きたもりやま》とひぐれ山《やま》のいのししは、こないことに決《き》まったようなものです。そこで、いよいよ、ふろふき大根《だいこん》のゆうべは、はじまりました。

四角《しかく》いいろりをかこんで、正面《しょうめん》に茂平《もへい》さん、その右《みぎ》どなりに、三日月山《みかづきやま》のいのしし、左《ひだり》どなりに、日《ひ》の出山《でやま》のいのしし、そして、入《い》り口《ぐち》にいちばん近《ちか》い席《せき》に、あかね山《やま》のいのししがすわりました。あかね山《やま》のいのししは、今夜《こんや》の主催者《しゅさいしゃ》ですから、いろいろと気《き》をつかいます。お皿《さら》やおはしを、みんなにくばったり、いろりに薪《まき》をたしたり、大根《だいこん》に、おはしをさしてみたりして、

「さあ、どうぞどうぞ。今夜《こんや》は、とびきりおいしいクルミみそがありますよ。」

といいました。ここで、茂平《もへい》さんが、せきばらいをひとつしますと、あかね山《やま》のいのししは、やっと思《おも》いだして、茂平《もへい》さんを、ほかのお客《きゃく》に紹介《しょうかい》してくれました。

「こちらは、峠《とうげ》の茶店《ちゃみせ》の茂平《もへい》さんです。今夜《こんや》、われわれの会《かい》のために、りっぱな大根《だいこん》一本《ぽん》と、クルミみそを贈《おく》ってくれました。」

茂平《もへい》さんが、ちょっとおじぎをしますと、お客《きゃく》のいのししたちは、口《くち》ぐちに、

「どうも、どうも。」

といいました。いろりにかかった大《おお》なべからは、白《しろ》いゆげが、ほやほやとあがっています。

「さあさあ、えんりょしないで食《た》べてください。」

そう、あかね山《やま》のいのししがいいますと、三日月山《みかづきやま》と、日《ひ》の出山《でやま》は、うれしそうに、おはしをとって、なべの中《なか》から、大根《だいこん》をひとつとりあげました。茂平《もへい》さんも、おはしをとりだしてみて、おどろきました。その大根《だいこん》の輪切《わぎ》りの厚《あつ》いことといったら、まるで、木《き》の切《き》り株《かぶ》みたいなのです。

「大《おお》きすぎるねえ。これじゃ、食《た》べにくいよ。」

と、茂平《もへい》さんがいいますと、となりで、三日月山《みかづきやま》のいのししが、とんでもないと

いう顔《かお》をしました。

「いえいえ、これくらい厚《あつ》く切《き》りませんと、いいゆげが出《で》ません。」

「ゆげ？」

「はい、ゆげです。ふろふき大根《だいこん》の会《かい》で、いちばんたいせつなのは、このゆげなのです。」

「ほう。」

茂平《もへい》さんは、ふろふき大根《だいこん》のなべを、つくづくと、見《み》つめました。そういえば、ほんとうによくゆげが出《で》ます。いろりの火《ひ》が、よく燃《も》えているせいでしょうか。それとも、なべが、特別《とくべつ》に大《おお》きいせいでしょうか。ひっきりなしにのぼってくるゆげは、白《しろ》くて大《おお》きくて、むかい側《がわ》にすわっているいのししの顔《かお》も見《み》えないくらいです。三日月山《みかづきやま》は、とくいそうにつづけました。

「茂平《もへい》さん、いのししのつくるふろふき大根《だいこん》は、特別《とくべつ》でしてね、このゆげがすばらしいのですよ。このゆげを、じいっと見《み》ていますとね、心《こころ》があったかくなりましてね、悲《かな》しいことやいやなことなんか、みんなわすれてしまいます。われわれは、そのために、ふろふき大根《だいこん》をつくるんです。」

「そうですとも。」

と、あかね山《やま》のいのししは、ゆげのむこう側《がわ》でいいました。

「わたしは、おととし、つれあいを亡《な》くしましてね、そのあと、悲《かな》しくて、夜《よる》も眠《ねむ》れませんでした。毎日毎日《まいにちまいにち》、家《いえ》の中《なか》にひきこもって暮《く》らしていましたら、友《とも》だちがやってきて、ここで、ふろふき大根《だいこん》、こしらえてくれたんです。そのゆげを、じいっと見《み》てましたら、ゆげの中《なか》に、白《しろ》い鳥《とり》がとんでいるのが見《み》えました。その鳥《とり》は白《しろ》くて大《おお》きくて、死《し》んだ家内《かない》のたましいみたいでしたよ。白《しろ》い鳥《とり》は、羽《はね》をひろげて、ふわりふわりととびながら、わたしに話《はな》しかけました。もう悲《かな》しむのはやめなさい。ごはんをたっぷり食《た》べて、夜《よる》は、ぐっすり眠《ねむ》りなさいってね。わかった、わかったと、わたしは、白《しろ》い鳥《とり》にいいました。そうしたら、白《しろ》い鳥《とり》は、すうっと、天《てん》に、いえ、天井《てんじょう》のほうにのぼっていって、消《き》えました。それから、わたしは、元気《げんき》になったんです。夜《よる》は、ぐっすり眠《ねむ》って、ごはんをたっぷり食《た》べるようになったんです。」

あかね山《やま》のいのししは、大根《だいこん》に、クルミみそをたっぷりのせて、ぱくりと食《た》べました。

「ふうん……。」

茂平《もへい》さんは、感心《かんしん》して、ふろふき大根《だいこん》のゆげを見《み》つめました。ひょっとして、自分《じぶん》にも、なにか見《み》えてくるかなあと、思《おも》いながら……。すると、横《よこ》から、日《ひ》の出山《でやま》が、ささやきました。

「白《しろ》い花《はな》が、見《み》えませんか。」

茂平《もへい》さんは、目《め》をほそめてみました。そうして、しばらくじいっと、ゆげを見《み》ていますと……、ああ、ほんとうに、ゆげの中《なか》には、大《おお》きなゆりの花《はな》が、一輪《りん》、咲《さ》いていたのです。

白《しろ》いゆりは、ゆらゆらゆれていました。やさしくて、さわやかで、夢《ゆめ》をみているような花《はな》でした。それをじっと見《み》つめていると、谷《たに》の水《みず》の音《おと》が、聞《き》こえてきます。やまばとの鳴《な》き声《ごえ》も、聞《き》こえてきます。そして、ゆりの花《はな》のにおいまでが、ほんの

りだよってくるのでした。

「いいねえ。やさしい気持《きも》ちになるねえ。」

と、茂平《もへい》さんは、つぶやきました。

「そうですか。わたしの心《こころ》は、あれを見《み》ていますと、あごがれでいっぱいになります。」

と、日《ひ》の出山《でやま》のいのししがいいました。

「わたしは、ゆりの花《はな》を見《み》ますとね、ゆりの根《ね》を思《おも》いだすんです。」

「わたしも、おんなじだ。」

と、ゆげのむこう側《がわ》で、あかね山《やま》がいいました。

「わたしも、ゆりの根《ね》を、思《おも》いだすよ。」

と、三日月山《みかづきやま》もいいました。それから、三匹《びき》のいのししは、声《こえ》をそろえて、

「あれは、うまいからねえ。」

といったのです。

そのあとしばらく、三匹《びき》は、うっとりと、ゆげの中《なか》のゆりの花《はな》を見《み》つめていましたが、日《ひ》の出山《でやま》が、こんなことをいいました。

「だけど、あれは、きっと、がけのとちゅうに咲《さ》いている花《はな》だ。あぶなくて、どうしても、食《た》べにゆけないゆりだ。だから、わたしの心《こころ》は、あこがれでいっぱいになって、口《くち》の中《なか》はつばでいっぱいになるんだ。」

日《ひ》の出山《でやま》は、いかにも残念《ざんねん》そうな顔《かお》をして大根《だいこん》を、ぱくりと食《た》べました。三日《みか》月山《づきやま》は、さっきから、クルミみそばかり、なめています。ぺろぺろと、口《くち》のまわりを、なめまわしながら、

「ところで、ゆりの花《はな》の上《うえ》に、雲《くも》が見《み》えないかね。」

といいました。

「雲《くも》。」

日《ひ》の出山《でやま》が、体《からだ》をのりだしますと、あかね山《やま》も、体《からだ》をのりだして、

「雲《くも》ねえ……。」

といいました。茂平《もへい》さんも、じっと、ゆげを見《み》つめました。

すると……ああ、ほんとうに、雲《くも》が見《み》

えてきたのです。

それは、夏《なつ》の山《やま》の、がけの上《うえ》にうかんだ、まっ白《しろ》い雲《くも》でした。

「いいねえ……。」

茂《も》平《へい》さんと、三匹《びき》のいのししは、声《こえ》をそろえてつぶやきました。

「あんなふうに、ふわーっと体《からだ》が軽《かる》くなって、空《そら》にうかぶことができたら、どんな気《き》持《も》ちかねえ。」

「そりゃ最《さい》高《こう》だよ。」

「ほっかむりして山《やま》を走《はし》るのと、どっちがいいだろう。」

「うーん、どっちもいいだろうねえ。夕《ゆう》ぐれに山《やま》を走《はし》れば、白《しろ》い満月《まんげつ》が動《うご》く。あれもなかなかいいもんだ。」

「そういえば、こないだ、山《やま》を走《はし》っていたら、うしろから、白《しろ》いちょうの群《む》れが追《お》いかけてきてね。」

そういいながら、三日月山《みかづきやま》は、ゆげの中《なか》に手《て》を入《い》れて、大根《だいこん》をひとつとりました。すると、ゆげが動《うご》いて、ゆげの中《なか》は、いちめん、ちょうの群《む》れにかわりました。ゆりの花《はな》も、雲《くも》も、もう見《み》えません。おなべの上《うえ》を白《しろ》いちょうが、まるで花《はな》ふぶきのように、舞《ま》いあがってゆくのです。ふんふんと、ほかのいのししたちがうなずきますと、三日月山《みかづきやま》は、うっとりと目《め》をほそめてつづけました。

「あれは、たしか春《はる》だったよ。わたしが走《はし》れば走《はし》るほど、ちょうの数《かず》は、ふえていって、わたしのまわりを、とりまくんだ。もう、目《め》もあけていられない、口《くち》もあけていられない、とうとう走《はし》ることもできなくなって、その場《ば》にぺたんと、す

わりこんだら、ちょうちょうがわらってね。」

「へ？　ちょうちょうがわらった？」

「そうとも。わらったんだ。」

「ふうん、どんな声《こえ》だして。」

「小《ちい》さい鈴《すず》みたいな声《こえ》さ。いくつもの、小《ちい》さい鈴《すず》が、ちりちり、ちりちり鳴《な》るような声《こえ》さ。あんまり、その声《こえ》がきれいなんで、こうしてわたしは、目《め》をつむった。」

　そこで、茂平《もへい》さんも、ほかの二匹《ひき》のいのししも、まねをして、目《め》をつぶってみました。すると、どうでしょう、ほんとうに、ゆげの中《なか》から、ちょうの笑《わら》い声《ごえ》が、あふれてきたのです。

10代からシルバー世代まで楽しめる名文による人生案内！

中学生までに読んでおきたい哲学

松田哲夫 編
案内人 南伸坊

【全8巻】

●各1980円（10％税込）

●判型／A5変型判／略フランス装 ●平均256ページ

シリーズ累計17万部突破！

❶愛のうらおもて

❸うその楽しみ

星 新一……「約束」
幸田 文……「うそとパン」
柳田国男……「ウソと子供」
井伏鱒二……「うそ話」
井上ひさし…「昭和二十二年の井伏さん」
種村季弘……「贋エチオピア皇帝の訪れ」
河合隼雄……「うそからまことが出てくる 他一編」

❺自然のちから

❼人間をみがく

古今亭志ん生（演）「宿屋の富」
内田百閒……「蜻蛉玉」
中川一政……「へそまがり」
吉田健一……「贅沢／貧乏」
須賀敦子……「ほめる」
白洲正子……「人間の季節」
串田孫一……「叱る・しかる・怒る」
湯川秀樹……「甘さと辛さ」

考えることを楽しもう！

「哲学」は、哲学書や哲学講義の中にだけあるものではありません。私たちの日常の暮らしの中にも、また、気楽に読んでいる文章の中にも、考えるためのヒントはちりばめられています。このシリーズでは、多彩な書き手による、味わい深い文章が並んでいます。優れた文章を味わうのもいいし、哲学的な思索にふけり、自分の頭で考える訓練を積み重ねるのもいいと思います。（編者 松田哲夫）

そうか、哲学って、小難しい理論じゃなくて、私たちの生活のすぐ隣にある何かだったんだ。考えるって、こういうことだったんだ。

角田光代さん

すぐれた詩人の名詩を味わい、理解を深めるシリーズ

「日本語を味わう名詩入門」

萩原昌好 編

●各1,650円（10％税込）
●平均100ページ
●小学校中学年～中学・高校生向き

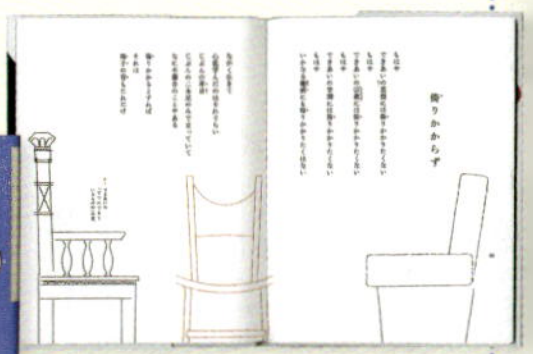

⑯「茨木のり子」（藤本 将 絵）より

① 宮沢賢治 唐仁原教久 絵
② 金子みすゞ 高橋和枝 絵
③ 八木重吉 植田 真 絵
④ 山村暮鳥 谷山彩子 絵
⑤ 立原道造 堀川理万子 絵
⑥ 中原中也 出久根 育 絵
⑦ 北原白秋 メグホソキ 絵
⑧ 高村光太郎 田中清代 絵
⑨ 萩原朔太郎 室生犀星 長崎訓子 絵
⑩ 丸山薫 三好達治 水上多摩江 絵

わかりやすい解説付き！

⑳「まど・みちお」（三浦太郎 絵）より

⑪ サトウハチロー つちだのぶこ 絵
⑫ 草野心平 秦 好史郎 絵
⑬ 高田敏子 中島梨絵 絵
⑭ 山之口貘 ささめやゆき 絵
⑮ 石垣りん 福田利之 絵
⑯ 茨木のり子 藤本 将 絵
⑰ 新川和江 網中いづる 絵
⑱ 工藤直子 おーなり由子 絵
⑲ 谷川俊太郎 渡邉良重 絵
⑳ まど・みちお 三浦太郎 絵

あすなろ書房
〒162-0041
東京都新宿区早稲田鶴巻町551-4
Tel：03-3203-3350
Fax：03-3202-3952

輪切り図鑑クロスセクション（全5巻）

スティーブン・ビースティ 画
リチャード・プラット 文
赤尾秀子／宮坂宏美 訳

●各2,200円（10%税込）（31×26cm／32ページ）

何でも輪切りにして、
その構造を徹底図解！
細密画で描かれた
驚異の百科図鑑

1. ヨーロッパの古城
2. 帆船軍艦
3. 人体断面図鑑
4. 世界のふしぎ断面図鑑
5. モノのできかた図鑑

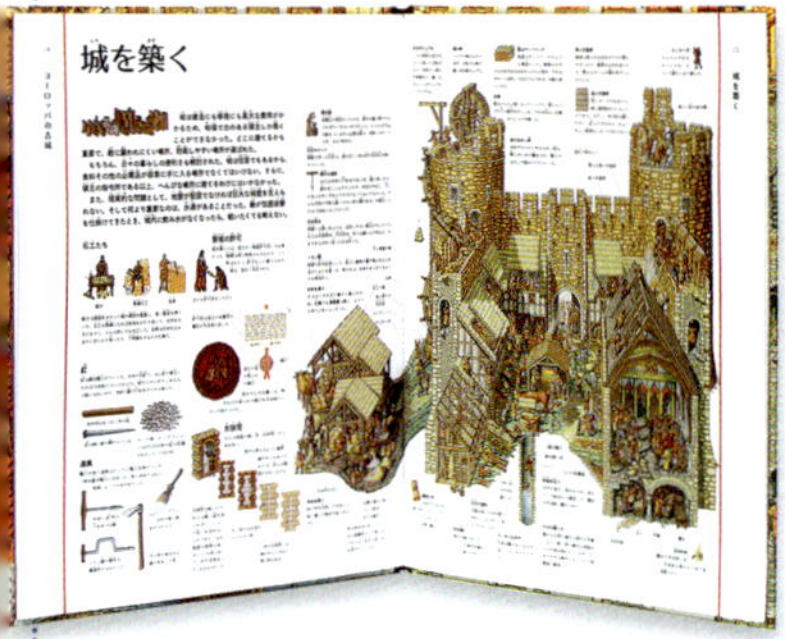

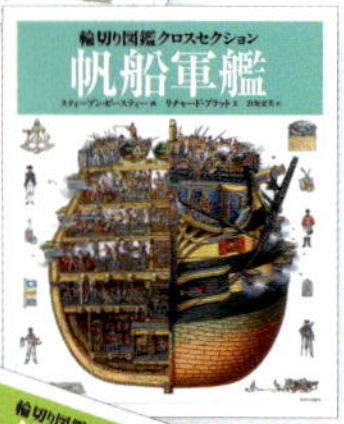

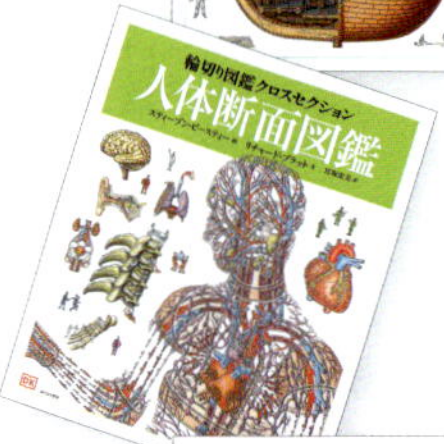

重機のない14世紀、人びとはどのようにして巨大な城を築いたのか？ 城の構造はもちろん、城の攻め方、守り方、城の中での日々の暮らしや、おそろしい拷問まで徹底図解！ 緻密なイラストですみずみまでわかりやすく紹介します。

いい人ランキング

人の悪口を言わないし、掃除
を見せて」と頼まれたら、気
人」と呼ばれるのは、いいこ
実は……？ いじめ問題につ
けでなく、いじめる側の心理
──人間関係に悩む中学生の

●1,540円（10%税込）（四六判／2

起業家フェリック

アンドリュー・ノリス 著　千

12歳の男の子のアイデアが
にプレゼントした手作りバース
カードを売り出したフェリック
立ち上げると、カードは爆発
ことに……。ウィットブレッド
のビジネス入門小説！

●1,650円（10%税込）（四六判／

種をまく人

ポール・フライシュマン 著

はじまりは小さな種だった。
れ変わる！ 人種、年齢の異
綴る「天の楽園」創造の記。

●1,320円（10%税込）（四六判／9

34丁目の奇跡

ヴァレンタイン・デイヴィス

こんなにも心のあたたまる物
アメリカで半世紀もの間、読
物語の定番。●1,320円（10%

黒い兄弟（上・下）

リザ・テツナー 著　酒寄進一

日照りの年、13歳の少年ジ
突然あらわれた〈ほお傷〉
ルイニ。それは、ミラノか
その名をとどろかせる恐
だった……。アニメ世界名
の青い空」の原作本。

●上巻・1,760円（10%税込）／下巻
（四六判／上・320ページ／下・392

……「ゆでたまご」
円地文子……「親ごころ」
杉浦日向子……「恋人の食卓」
森　瑤子……「手紙」
寺山修司……「愛され方」
坂口安吾……「恋愛論」
吉行淳之介……「嫉妬について」
中野好夫……「恋愛について」
佐野洋子……「愛する能力」
倉橋由美子……「血で染めたドレス」
幸田　文……「啐啄」
中島らも……「恋の股裂き」

加藤周一……「嘘について」
米原万里……「北風と太陽」
池田晶子……「正直者は馬鹿をみるか」
遠藤周作……「嘘」
太宰　治……「嘘」
伊藤　整……「正直な夫」
佐野洋子……「悪女と善人」
内田百閒……「正直の徳に就いて」
吉田健一……「とぼけることの効用」
桂　三木助……（演）「饅頭こわい」
小松左京……「完全犯罪」

山本多助……「ミソサザイの神が語った話」
吉野せい……「春」
臼井吉見……「自分をつくる　抄」
今西錦司……「山」
森　毅……「山は迷うもの／キノコの人生論」
湯川秀樹……「自然と人間」
日高敏隆……「いろんな生き方があっていい」
杉浦明平……「雑草世界の近代化」
渡辺一夫……「大自然と人間」

大庭みな子「遠い山をみる眼つき」
河合隼雄……「人の心などわかるはずがない」
吉野秀雄……「ひとの不幸をともにかなしむ」
森　毅……「わらじは二足」
吉田　満……「転機」
渡辺一夫……「服装の効用について」
茨木のり子「一本の茎の上に」
堀田善衞……「世界・世の中・世間」
丸山眞男……「『である』ことと『する』こと」
星　新一……「生活維持省」
小松左京……「再建」
[illegible]

女の関係」
森　鷗外……「じいさんばあさん」
岡本かの子……「鯉魚」
小泉八雲……「心中」
宅島徳光……「日記」

② 悪のしくみ

井上ひさし……「万引き」
池田晶子……「いじめの憂鬱」
河合隼雄……「生きる力を育てる」
結城昌治……「極楽往生」
倉橋由美子……「子供たちが豚殺しを真似した話」
寺山修司……「『狼が七匹の子やぎ』に冷たくされる理由」
遠藤周作……「善魔について」
中野好夫……「偽善について」
渡辺一夫……「偽善の勧め」
亀井勝一郎……「悪人の自覚」
田中美知太郎……「悪はどこから」
宇野信夫……「鬼あざみ清吉」
星　新一……「七人の犯罪者」
江戸川乱歩……「探偵小説に現われたる犯罪心理」
堀田善衛……「流血」
埴谷雄高……「政治について」
吉野せい……「いもどろぼう」
吉村　昭……「鰭紙」

④ おろか者たち

夢野久作……「一ぷく三杯」
結城昌治……「遺産」
山口　瞳……「すみません」
堀田善衛……「これはなんだ？」
米原万里……「言葉は誰のものか？」
井上ひさし……「日本語は七通りの虹の色」
中島　敦……「文字禍」
松田道雄……「だめな人間なんていない」
梅棹忠夫……「遅刻論」
森　毅……「やさしさの時代に」
河合隼雄……「『明るく元気に』病／ズル」
中島らも……「怒る子は育つ」
岡本太郎……「不当への憤り―子供対大人」
湯川秀樹……「痴人の夢」
渡辺一夫……「狂気について」
太宰　治……「吉野山」
吉行淳之介……「病気の愉しみ」
三島由紀夫……「虚栄について」
佐野洋子……「虹を見ながら死ね」
色川武大……「男らしい男がいた」
林家正蔵……（演）「首提灯」

小泉八雲……「生神」
茨木のり子……「内海」
石原吉郎……「望郷と海」
埴谷雄高……「アンドロメダ星雲」
梅崎春生……「法師蝉に学ぶ」

⑥ 死をみつめて

向田邦子……「ねずみ花火」
松下竜一……「絵本」
松田道雄……「死について」
伊丹十三……「死教育」
池田晶子……「無いものを教えようとしても」
吉村　昭……「大人の世界」
神谷美恵子……「自殺と人間の生きがい」
阿佐田哲也……「自殺について」
河合隼雄……「生まれ変わるためには死なねばならない」
佐野洋子……「今日でなくてもいい」
高見　順……「不思議なサーカス」
小松左京……「仁科氏の装置」
岸本英夫……「わが生死観」
埴谷雄高……「死について」
吉田　満……「戦争体験をめぐって」
大岡昇平……「食慾について」
石原吉郎……「確認されない死のなかで」
柳家小さん……（演）「粗忽長屋」

⑧ はじける知恵

高峰秀子……「文章修行」
茨木のり子……「美しい言葉とは」
国分一太郎……「まんじゅうの皮とあん」
島尾敏雄……「昔ばなしの世界」
井上ひさし……「パロディ思案」
池田晶子……「『哲学』ではない。だからこそ力に満ち」
日高敏隆……「『なぜ』をあたため続けよう」
戸井田道三……「おいしい仔犬」
湯川秀樹……「知魚楽」
須賀敦子……「塩一トンの読書」
白洲正子……「智恵というもの」
渡辺一夫……「教養について」
河合隼雄……「100%正しい忠告はまず役に立たない」
城山三郎……「大志信仰／人間通の勝利」
吉川幸次郎……「東洋の合理主義」
岡本太郎……「『岡本太郎の眼』はじめに」
澁澤龍彦……「幸福より、快楽を」
杉浦日向子……「つかず、はなれず、ユラユラと」
三遊亭小圓朝（演）「あくび指南」

古典に親しむきっかけに! 小学校高学年から楽しく学べる古典入門

はじめての万葉集（上・下巻）

萩原昌好 編　中島梨絵 絵

「万葉集」全20巻、4500首の中から代表的な作品135首をセレクト。年代別に4期にわけて、わかりやすく紹介します。

上巻 ① 初期万葉時代
　：大化改新 ～ 壬申の乱
② 白鳳万葉時代
　：壬申の乱 ～ 藤原京への遷都

下巻 ③ 平城万葉時代
　：藤原京への遷都 ～ 平城京への遷都
④ 天平万葉時代
　：平城京の時代

●各1,760円（10%税込）（A5変型判／2色刷／各128ページ）

日本最古の歴史書『古事記』の入門書

はじめてであう古事記（上・下巻）

西田めい 編　中島梨絵 絵

日本という国は、どのようにしてはじまったのか? 日本最古の歴史書『古事記』をわかりやすく紹介。10代から大人まで楽しめる古典入門!

『古事記』を読む
　＝古代日本人の心を知る

不思議な力をもつ神々が登場する神話にはじまり、神と人とが共存しながら、日本という国家が歩んできた道のりをたどる『古事記』。解説はもちろん、脚注も充実!

上巻：「天と地のはじまり」から
　第11代天皇、垂仁天皇まで。
下巻：「ヤマトタケル物語」から
　第33代天皇、推古天皇まで。

●各1,980円（10%税込）
（A5変型判／2色刷／上巻 152ページ・下巻 136ページ）

村上春樹の翻訳えほん

★C.V.オールズバーグ 作　村上春樹 訳

急行「北極号」 ★コルデコット賞

幻想的な汽車の旅へ……。
少年の日に体験したクリスマス前夜のミステリー。
映画「ポーラー・エクスプレス」原作本。
●1,650円（10%税込）（24×30cm／32ページ）

ジュマンジ

ジュマンジ……それは、退屈してじっとしていられない子どもたちのための世にも奇妙なボードゲーム。映画「ジュマンジ」原作絵本！
●1,650円（10%税込）（26×28cm／32ページ）

★シェル・シルヴァスタイン　村上春樹 訳

おおきな木

おおきな木の無償の愛が、心にしみる絵本。絵本作品の「読み方」がわかる村上春樹の訳者あとがきは必読。
●1,320円（10%税込）
（23×19cm／57ページ）

英語で読める『おおきな木』
日本語訳付き The Giving Tree

村上春樹の名訳、原文では……？

あの名作が、日・英、ふたつの言語で同時に楽しめる！ 英語に親しみながら、よく知る作品の新たな一面が発見できる絵本。
●1,980円（10%税込）（25×19cm／56ページ）

はぐれくん、おおきなマルにであう

名作絵本『ぼくを探しに』（講談社）の続編が村上春樹・訳で新登場！ 本当の自分を見つけるための、もうひとつの物語。
●1,650円（10%税込）（A5変型判／104ページ）

あすなろ書房の本

［10代からのベストセレクション］

『いつかきっと』（クリスチャン・ロビンソン 絵）より

表示価格は、本体価格（10%税込価格）です　2024.4.1

ちり、ちり、ちり、ちり……

小《ちい》さなガラス玉《だま》が、ぶつかるような音《おと》でした。星《ほし》のかけらが、こぼれるような音《おと》でした。


「いいねえ。」

と、茂平《もへい》さんは、いいました。三匹《びき》のいのししも、声《こえ》をそろえて、

「いいねえ。」

といいました。すると、こんどは、日《ひ》の出山《でやま》のいのししが、しゃべりだしました。

「このまえ、わたしが山《やま》を走《はし》ったときには、うしろから、風《かぜ》が追《お》いかけてきてねえ。雪《ゆき》がやっぱり、あんなふうに、ふってきたよ。雪《ゆき》は、風《かぜ》でわんわんおどってねえ。ほんとに、白《しろ》いちょうの群《む》れみたいだった。」

ふんふんと、また、みんなは、うなずきました。そうして、目《め》をあけますと、こんどは、ゆげの中《なか》が、いちめんのふぶきに見《み》えてきました。

「ふぶきの山《やま》を、白《しろ》いほっかむりして走《はし》る。あれも、なかなかいいものだ。風《かぜ》が、

びゅーびゅー吹《ふ》いてね、雪《ゆき》が、ななめにとんでね、その中《なか》を、ひた走《はし》りに走《はし》るんだ。日《ひ》の出山《でやま》から、北森山《きたもりやま》まで走《はし》るんだ。そうすると、体《からだ》じゅう、まっ白《しろ》になってね、北森山《きたもりやま》についたころにゃ、別《べつ》のいのししに、生《う》まれかわったみたいだよ。」

そりゃそうだろうと、みんなは、いっせいに、うなずきました。

ところで、すこし寒《さむ》くなりました。風《かぜ》も出《で》てきたようです。

「雪《ゆき》かな。」

といいながら、あかね山《やま》のいのししが、立《た》ちあがりました。そうして、東《ひがし》の窓《まど》をあけてみますと、どうでしょう、窓《まど》の外《そと》には、ほろほろと、白《しろ》いものが、こぼれていたのです。

「初雪《はつゆき》だ。」

と、いのししたちは、いいました。茂平《もへい》さんはこのとき、なぜかもう、ほんとうに、うっとりしてしまいました。まっくらな山《やま》にふりつもる雪《ゆき》の、なんと、静《しず》かで美《うつく》しいことでしょうか……。

「それじゃ、ふろふき大根《だいこん》は、これくらいにして、こんどは、すこし、おなかのたしになるものを食《た》べようじゃないか。」

と、あかね山《やま》が、上《じょう》きげんでいいました。気《き》がつくと、なべの中《なか》は、もうからっぽです。クルミみそも、きれいに、たいらげられていました。

あかね山《やま》のいのししは、なべをかたづけると、へやのすみの戸《と》だなから、おもちを四つとりだしました。びっくりするほど大《おお》きなおもちです。はがきぐらいの大《おお》きさです。それを、いろりの火《ひ》で焼《や》いて、のりや、きなこや、ゴマをつけて、みんなは食《た》べました。ひとつ食《た》べたら、もうおなかはいっぱい、おなかに、ずしりと力《ちから》がはいりました。

「茂平《もへい》さん、今夜《こんや》は、泊《と》まってらっしゃい。」

と、あかね山《やま》のいのししはいいました。

「そうしなさい、そうしなさい。」

と、三日月山《みかづきやま》が、横《よこ》からいいました。

「外《そと》は寒《さむ》いし、雪《ゆき》だから。」

と、日《ひ》の出山《でやま》もいいました。どうやら、みんな、今夜《こんや》はここに泊《と》まるらしいので
す。でも茂平《もへい》さんは、家《いえ》のことが気《き》がかりでしたから、

「せっかくだけど、今夜《こんや》は、これで帰《かえ》るよ。」

といいました。そうして立《た》ちあがりますと、あかね山《やま》が、

「そんなら、これ、かぶってらっしゃい。」

と、自分《じぶん》のてぬぐいを、貸《か》してくれました。茂平《もへい》さんはびっくりして、

「だいじなてぬぐいだろ……。」

といいますと、あかね山《やま》は、

「あした返《かえ》してください。これで、ほっかむりすると、あったかいですよ。」

といいました。

「ありがとう。それじゃ、借《か》りてゆくよ。」

茂平《もへい》さんは、いのししのてぬぐいを、かぶりました。あごのところで、はしっ

こをきゅっと結《むす》んで外《そと》へ出《で》ますと、風《かぜ》が吹《ふ》いてきて、目《め》の前《まえ》の雪《ゆき》が、わんわんおどりました。茂平《もへい》さんは、懐中電灯《かいちゅうでんとう》のまるい光《ひかり》に照《て》らされると、雪《ゆき》はほんとうに、白《しろ》い小《ち》さなちょうの群《む》れのように見《み》えました。雪《ゆき》のほそ道《みち》を、茂平《もへい》さんは、走《はし》ってみました。すると、笹《ささ》の葉《は》が、ざんざん鳴《な》って、自分《ぶん》が、くらやみの中《なか》の、黒《くろ》いけものになったような気《き》がしました。茂平《もへい》さんは、自分《じぶん》の足《あし》が、いつもよりずっと軽《かる》くて、ずっとはやいことに

気《き》づきました。
(ほっかむりのせいかな、それとも、大《おお》きなきなこもち、食《た》べたせいかな。)
そんなことを思《おも》い思《おも》い、茂《も》平《へい》さんは、ひと息《いき》に走《はし》って、家《いえ》に帰《かえ》りついたのです。

安房直子（あわ なおこ）

東京都に生まれる。日本女子大学在学中より、山室静氏に師事。大学卒業後、同人誌『海賊』に参加。1982年、『遠い野ばらの村』（筑摩書房）で野間児童文芸賞、1985年、『風のローラースケート』（筑摩書房）で新美南吉児童文学賞、1991年、『花豆の煮えるまで』でひろすけ童話賞を受賞。1993年、肺炎により逝去。享年50歳。没後も、その評価は高く、『安房直子コレクション』全7巻（偕成社）が刊行されている。

アヤ井アキコ（あやい あきこ）

絵本作家。北海道生まれ。大学卒業後、印刷会社勤務を経て、美学校シルクスクリーン工房で学ぶ。『もぐらはすごい』（川田伸一郎・監修／アリス館）で第24回日本絵本賞大賞を受賞。作・絵の絵本に『くまがうえにのぼったら』（ブロンズ新社）、『こうもり』（福井大・監修／偕成社）、絵を担当した絵本に『プッチェットのぼうし』（中脇初枝・再話／あすなろ書房）などがある。

本書に収録した作品テクストは、下記を使用しました。
『安房直子コレクション3 ものいう動物たちのすみか』（偕成社）

安房直子 絵ぶんこ①
ふろふき大根のゆうべ

2024年 4 月30日　初版発行
2025年 3 月10日　2刷発行

安房直子・文
アヤ井アキコ・絵

発行所／あすなろ書房
〒162-0041　東京都新宿区早稲田鶴巻町551-4
電話03-3203-3350（代表）
発行者／山浦真一

装丁／タカハシデザイン室
印刷所／佐久印刷所
製本所／ナショナル製本

ISBN978-4-7515-3201-0　NDC913　Printed in Japan